This Dodo Book of Visitors
is the precious property of

SOUVENIR de VISITE

Names Date

Comments

SOUVENIR de VISITE

Names

Date

Comments

SOUVENIR de VISITE

Names

Date

Comments

SOUVENIR de VISITE

Names

Date

Comments

SOUVENIR de VISITE

Names

Date

Comments

SOUVENIR de VISITE

Names Date

Comments

SOUVENIR de VISITE

Names

Date

Comments

SOUVENIR de VISITE

Names

Date

Comments

SOUVENIR de VISITE

Names Date

Comments

SOUVENIR de VISITE

Names

Date

Comments

SOUVENIR de VISITE

Names

Date

Comments

SOUVENIR de VISITE

Names

Date

Comments

SOUVENIR de VISITE

Names

Date

Comments

SOUVENIR de VISITE

Names

Date

Comments

SOUVENIR de VISITE

Names

Date

Comments

SOUVENIR de VISITE

Names

Date

Comments

SOUVENIR de VISITE

Names Date

Comments

SOUVENIR de VISITE

Names

Date

Comments

SOUVENIR de VISITE

Names Date

Comments

SOUVENIR de VISITE

Names Date

Comments

SOUVENIR de VISITE

Names

Date

Comments

SOUVENIR de VISITE

Names

Date

Comments

SOUVENIR de VISITE

Names

Date

Comments

SOUVENIR de VISITE

Names

Date

Comments

SOUVENIR de VISITE

Names Date

Comments

SOUVENIR de VISITE

Names

Date

Comments

SOUVENIR de VISITE

Names

Date

Comments

SOUVENIR de VISITE

Names

Date

Comments

SOUVENIR de VISITE

Names

Date

Comments

SOUVENIR de VISITE

Names

Date

Comments

SOUVENIR de VISITE

Names

Date

Comments

SOUVENIR de VISITE

Names

Date

Comments

SOUVENIR de VISITE

Names

Date

Comments

SOUVENIR de VISITE

Names

Date

Comments

SOUVENIR de VISITE

Names

Date

Comments

SOUVENIR de VISITE

Names

Date

Comments

SOUVENIR de VISITE

Names

Date

Comments

SOUVENIR de VISITE

Names

Date

Comments

SOUVENIR de VISITE

Names

Date

Comments

SOUVENIR de VISITE

Names

Date

Comments

SOUVENIR de VISITE

Names

Date

Comments

SOUVENIR de VISITE

Names

Date

Comments

SOUVENIR de VISITE

Names

Date

Comments

SOUVENIR de VISITE

Names

Date

Comments

SOUVENIR de VISITE

Names

Date

Comments

SOUVENIR de VISITE

Names Date

Comments

SOUVENIR de VISITE

Names

Date

Comments

SOUVENIR de VISITE

Names Date

Comments

SOUVENIR de VISITE

Names

Date

Comments

SOUVENIR de VISITE

Names

Date

Comments

SOUVENIR de VISITE

Names

Date

Comments

SOUVENIR de VISITE

Names Date

Comments

SOUVENIR de VISITE

Names

Date

Comments

SOUVENIR de VISITE

Names

Date

Comments

SOUVENIR de VISITE

Names

Date

Comments

SOUVENIR de VISITE

Names

Date

Comments

SOUVENIR de VISITE

Names Date

Comments

SOUVENIR de VISITE

Names

Date

Comments

SOUVENIR de VISITE

Names

Date

Comments

SOUVENIR de VISITE

Names

Date

Comments

SOUVENIR de VISITE

Names Date

Comments

SOUVENIR de VISITE

Names

Date

Comments

SOUVENIR de VISITE

Names

Date

Comments

SOUVENIR de VISITE

Names

Date

Comments

SOUVENIR de VISITE

Names

Date

Comments

SOUVENIR de VISITE

Names

Date

Comments

SOUVENIR de VISITE

Names

Date

Comments

SOUVENIR de VISITE

Names

Date

Comments

SOUVENIR de VISITE

Names

Date

Comments

SOUVENIR de VISITE

Names Date

Comments

SOUVENIR de VISITE

Names

Date

Comments

SOUVENIR de VISITE

Names Date

Comments

SOUVENIR de VISITE

Names

Date

Comments

SOUVENIR de VISITE

Names

Date

Comments

SOUVENIR de VISITE

Names Date

Comments

SOUVENIR de VISITE

Names Date

Comments

SOUVENIR de VISITE

Names

Date

Comments

SOUVENIR de VISITE

Names

Date

Comments

SOUVENIR de VISITE

Names Date

Comments

SOUVENIR de VISITE

Names

Date

Comments

SOUVENIR de VISITE

Names

Date

Comments

SOUVENIR de VISITE

Names

Date

Comments

SOUVENIR de VISITE